Princesse Lalie
et le cochon d'Inde

À Princesse Lindsey, avec tendresse, V.F.
Remerciements spéciaux à J.D.

Cet ouvrage a initialement paru en langue anglaise en 2008
chez Orchard Books sous le titre :
Princess Lindsey and the Fluffy Guinea Pig.
© Vivian French 2009 pour le texte.
© Orchard Books 2009 pour les illustrations.

© Hachette Livre 2012 pour la présente édition.

Adapté de l'anglais par Natacha Godeau

Mise en page et colorisation : Valérie Gibert et Philippe Sedletzki

Hachette Livre, 43 quai de Grenelle, 75015 Paris

Vivian French

PRINCESSE
Academy
Les Tours de Diamants

Princesse Lalie
et le cochon d'Inde

PRINCESSE
Academy
Les Tours de Diamants

Institution

pour Princesses Modèles

Devise de l'école :

Une Princesse Modèle
est honnête, aimable
et attentionnée.
Le bien-être des autres
est sa priorité.

*Les Tours de Diamants abritant
une ferme, une réserve d'animaux
sauvages, un parc et une clinique
vétérinaire, notre programme inclut :*

- Une préparation au Concours des Prés
- Une excursion à la Bambouseraie Royale
- Un stage à la ferme
- Une randonnée à dos d'éléphant

Notre directeur, le Roi Percy Ier, habite
la tour principale. Nos élèves sont
placées sous la surveillance
de Marraine Fée, l'Enchanteresse en chef.

Liste des professeurs :

• Lady Pénélope
(Responsable de la Ferme, du Parc
et de la Réserve)

• La Reine Mère Matilda
(Maintien et Bonnes Manières)

• Fée Angora
(Assistante de Marraine Fée)

• Docteur Jade
(Chargée des Animaux)

• Lady Sally
(Directrice de la Garderie Animalière)

Les princesses sont notées à l'aide de Points Diadème. Les meilleures élèves reçoivent leur Écharpe de Diamant à l'occasion du Bal de Fin d'Année. Elles peuvent ensuite s'inscrire au Palais d'Or afin d'y parfaire leur éducation.

Le jour de la rentrée,
chaque princesse est priée
de se présenter munie de :

- Dix tenues de bal
- Cinq ensembles de jour
- Sept robes de cocktail
- Cinq paires de chaussures de fête
- Une paire de bottes d'équitation
- Une paire de bottes en caoutchouc
- Un imperméable
- Dix paires de chaussettes épaisses.

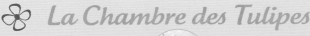

La Chambre des Tulipes

• Princesse Bettina
sait surmonter
ses peurs

• Princesse Mina
peut faire mille
choses à la fois

• Princesse Karine
ne renonce jamais

• Princesse Agathe
a du caractère

• Princesse Lalie
est douce et
déterminée

SANS OUBLIER...

• Princesse Romy
relève tous les défis

• Les jumelles Précieuse et Perla,
les pires chipies de l'école !

Bonjour !
Je suis Princesse Lalie !
Je pense que tu connais déjà mes amies
de la Chambre des Tulipes, les princesses
Mina, Bettina, Karine, Agathe et Romy ?
On est toutes folles des animaux.
Et aux Tours de Diamant,
il y a tout ce qu'il faut pour s'en occuper !
Sans ces pestes de Précieuse et Perla,
on serait au Paradis, ici…

Chapitre premier

Moi, mon animal favori, c'est le cochon d'Inde. Je ne connais rien de plus mignon ! Tu en as déjà vu, en vrai ? Ils louchent tous un peu, et ils poussent de petits couinements a-do-ra-bles ! J'ai tellement espéré que quelqu'un confie le sien aux Tours de Diamants… Et puis, voilà : il y en a justement un, à la Garderie Animalière, aujourd'hui. Le mieux, c'est que c'est notre tour, à mes amies et à moi, d'aider Lady Sally ! Quelle chance !

— Il est rigolo ! je m'exclame, attendrie.

Il essaie de se cacher sous une feuille de laitue, mais il est très maladroit ! Je demande :

— D'où il vient, Lady Sally ?

— De chez Emmalina, une tante des princesses Précieuse et Perla. Mais je m'inquiète pour lui, Princesse Lalie. Depuis son

arrivée hier soir, il refuse de manger quoi que ce soit.

— C'est peut-être à cause du voyage ? suggère Agathe.

— J'en doute, répond Lady

Sally. D'ordinaire, les cochons d'Inde ne résistent jamais aux concombres, ni aux carottes. Et Monty, pourtant, n'en veut pas.

Je questionne :

— Je pourrais essayer de lui en donner, pour voir ?

Mais juste à cet instant, Précieuse et Perla entrent à grands pas dans la Garderie.

— Bonjour, Lady Sally ! Où est Monty ? Tante Emmalina nous a dit qu'elle vous l'avait confié le temps de sa tournée royale d'inspection. Ma sœur et moi, nous tenons absolument à nous en occuper nous-mêmes !

À ces mots, elles se penchent ensemble sur la cage du cochon d'Inde. Précieuse s'exclame :

— Coucou, Monty !

Et elle essaie de l'attraper de force. Le pauvre pousse un couinement aigu et fonce se cacher dans un coin. Je m'interpose :

—Arrêtez, vous lui faites peur ! Il tremble comme une feuille !

— Non mais, pour qui tu te prends, Lalie ? s'écrie Perla. Monty n'est pas à toi ! Moi, il me connaît depuis longtemps !

Et elle tente à son tour de le prendre. Lady Sally intervient :

— Il faut laisser Monty un peu tranquille pour qu'il s'habitue

à son nouvel environnement. Venez plutôt m'aider à nourrir les lapins !

— Et Lalie ? Elle vient aussi ? demande Perla d'un ton suspicieux.

— Bien sûr ! je réponds.

Et je tourne mon fauteuil roulant en direction des clapiers. Les jumelles me suivent immédiatement, et Bettina m'adresse un clin d'œil complice. Précieuse et Perla ont vraiment un sale caractère ! Au moment où nous ouvrons les clapiers, Karine et Romy terminent de nettoyer le sol. Et tandis qu'elles se lavent les mains à l'évier, Lady Sally demande à Mina de nous apporter le panier plein de carottes, et à Agathe de nous distribuer les feuilles de laitue. Aussitôt, Perla hurle de dégoût :

— Il y a une limace horrible sur la mienne !

Et elle la jette par terre et se précipite à l'évier où elle éclabousse tout le monde en criant :

— Beurk ! Je déteste les limaces ! Je déteste ça ! Elles sont si…

— Gluantes ? je suggère en me
retenant de rire.

Perla rougit de colère.

— Tu te moques de moi, Lalie ?
Tu le regretteras !

Et elle quitte la Garderie en
vitesse, Précieuse sur les talons.

Chapitre deux

Lady Sally secoue la tête.

— Ces deux-là n'agissent vraiment pas en Princesses Modèles ! Je devrais retirer quelques Points Diadème à Perla, en punition. En même temps, je la comprends, cette limace était assez dégoûtante…

Nous nous taisons. Lady Sally est parfois trop gentille avec les élèves!

Je profite alors de l'absence des jumelles pour retourner voir Monty. Le pauvre se cache toujours dans un coin, la mine boudeuse. Je murmure:

— Eh bien, Monty, tu n'as pas envie d'un bon morceau de salade fraîche?

Je lui tends gentiment une feuille entre les barreaux. Il la renifle de loin, son museau et ses oreilles frémissent. Il me fixe de ses petits yeux sombres et là, tout doucement, sans me lâcher

du regard, il s'approche des barreaux et m'arrache subitement
la salade des mains! Il se met à
la grignoter à toute vitesse! Je lui
en donne même un autre morceau, qu'il dévore de la même
façon.

— Bravo, Lalie ! me félicite Lady Sally, dans mon dos. Essaie de lui donner des graines, maintenant.

Je verse les graines dans sa mangeoire, mais Monty n'en veut pas. Alors j'en place quelques-unes dans le creux de ma main et là, il accepte de tout manger ! Puis, il souffle sur mes doigts et me fait comprendre qu'il souhaite que je le caresse derrière les oreilles. Au bout d'un moment, je peux enfin le sortir de sa cage et le poser sur mes genoux pour mieux le câliner. Il se laisse faire avec bonheur !

— Je peux le prendre ?
demande Agathe, envieuse.

— Gratouille-lui d'abord
l'oreille, je conseille.

Mais Agathe commence à peine à approcher la main, que Monty pousse un petit cri de protestation et file se réfugier sous mon bras.

— Inutile de le contrarier, dit Lady Sally. Pour l'instant, Monty a choisi de vous faire confiance à *vous*, Princesse Lalie. Revenez donc le nourrir ce soir. Nous devons le garder jusqu'à samedi, et je ne voudrais pas le rendre tout maigre à sa propriétaire !

— Je m'en charge, Lady Sally ! je promets, ravie.

Puis je remets avec soin Monty dans sa cage, où il s'allonge bientôt pour dormir. Je rejoins ensuite mes amies qui doivent emmener Minnie, une femelle colley noire et blanche, en promenade.

— Ramenez-la avant l'heure du déjeuner, surtout, nous recommande Lady Sally. Quant à vous, Princesse Lalie, je vous donne cinq Points Diadème pour votre excellent travail auprès de Monty !

Je souris fièrement tout en me mettant en route, avec mes amies. Minnie bondit joyeusement près de nous. Bettina me tapote l'épaule en riant et déclare :

— Cinq Points Diadème pour avoir traité avec gentillesse un cochon d'Inde… Les jumelles en seraient vertes de rage !

— Et pourquoi, on serait vertes de rage ? lance Perla en apparaissant tout à coup au détour d'un buisson avec sa sœur.

Agathe sursaute.

— Qu'est-ce que vous faites là ?

Perla l'ignore. Au lieu de l'écouter, elle insiste :

— Alors, tu réponds, Karine ?

— Si tu y tiens tant que ça ! Lady Sally a donné cinq Points Diadème à Lalie, voilà !

— En quel honneur? gronde
Précieuse, subitement jalouse.
Nous, elle ne nous a rien donné.
Pourtant, Perla a eu drôlement
peur, avec la limace!

— C'est vrai, approuve Perla.

Qu'est-ce que Lalie a fait de si bien ?

— Elle a réussi à faire manger Monty, annonce Agathe. Et maintenant, laissez-nous passer, on doit finir de promener la chienne !

— Une seconde ! s'écrie Perla en attrapant les poignées de mon fauteuil. C'est notre cochon

d'Inde, Lalie ! Je t'interdis de t'en occuper, tu as compris ?

Tu sais quoi ? Je déteste qu'on prenne les poignées de mon fauteuil roulant sans m'avoir demandé la permission. C'est vraiment quelque chose que je ne supporte pas ! D'habitude, je m'arrange toujours pour ignorer les méchancetés des jumelles... mais là, c'est plus fort que moi. Je réplique :

— Dommage pour toi, parce que Lady Sally m'a justement chargée de le nourrir ce soir !

Sur quoi, je me dégage d'un coup de roue et je m'éloigne

rapidement sur le chemin sans même me retourner.

Chapitre trois

Quand mes amies me rattrapent, je suis plus calme. Bettina m'explique que les jumelles sont parties furieuses en se chuchotant à l'oreille, comme si elles complotaient quelque chose. Mais je m'en fiche. J'ai hâte de retrouver Monty ce soir, c'est tout ce qui m'importe. Nous terminons la promenade de Minnie, puis nous rentrons à l'école juste à temps pour le déjeuner. Marraine Fée, l'Enchanteresse en Chef, est assise à la table des professeurs avec Lady Sally. Au dessert, elle vient nous parler.

— Je vous félicite, princesses de la Chambre des Tulipes ! Lady Sally est si satisfaite de votre travail à la Garderie qu'elle m'a priée de vous donner trois Points Diadème à chacune. Et vous, Princesse Lalie, il paraît que vous avez un don particulier avec les

cochons d'Inde. Vous avez beaucoup de chance !

Marraine Fée s'interrompt un instant, puis elle reprend d'un ton plus sec :

— Princesse Perla, les limaces vous effraient peut-être, mais en tant que Princesse Modèle, il faudra apprendre à vous maîtriser.

Perla ne réagit pas. Elle fixe son assiette sans bouger. Alors, Marraine Fée s'éloigne vers la table de la Chambre des Jonquilles, et avec mes amies, nous commençons à bavarder de ce que nous allons faire ce week-end. Comme il n'y a ni bal, ni pique-nique ce

samedi, Romy propose qu'on aide Lady Sally à la Garderie. Nous acquiesçons sans hésiter. C'est vrai, c'est une idée fantastique ! Derrière nous, Perla persifle :

— N'imagine pas que tu vas t'occuper de Monty, Lalie. Tante Emmalina vient le reprendre samedi avant midi ! Et Précieuse et moi, on l'accompagne parce qu'on est invitées à un grand bal chez elle !

— Je vous souhaite de bien vous amuser, alors, dit poliment Mina. Et je suis sûre que Monty sera très heureux de retrouver sa maison.

— En tout cas, il sera heureux d'être enfin loin de Lalie ! rétorque Perla du tac au tac. Allez, viens, Précieuse. On a mieux à faire qu'à perdre notre temps à discuter avec ces idiotes de Tulipes !

Je vois Précieuse fixer quelque chose sous notre table, en suivant sa sœur. Mais j'oublie aussitôt ce détail en entendant Bettina s'esclaffer :

— Ce n'est peut-être pas très digne d'une Princesse Modèle, mais je suis bien contente que les jumelles partent pour le week-end !

— Tu n'es pas la seule, pouffe Karine. Princesse Modèle ou pas !

Tout à coup, Romy propose :

— Et si on promenait Minnie, samedi ?

— Lady Sally a déjà dit qu'elle s'en occupait, souffle Agathe. Mais on pourra sans doute l'accompagner.

— Oui, sauf que ce sera moins amusant qu'entre nous, je remarque.

Nous sortons du réfectoire. Et voici que nous nous retrouvons nez à nez avec les jumelles qui elles, reviennent ! Précieuse, rouge de confusion, bredouille :

— Heu… on a juste oublié…
un cahier.

Et elles entrent en vitesse dans
la salle. Mais vraiment, elles ont
l'air trop bizarre. Comme si elles
préparaient un mauvais coup !
Alors, je reviens sur mes pas et je
regarde discrètement par la porte

entrouverte. Je vois Perla se glisser sous notre table, à mes amies et à moi, pour y ramasser quelque chose. Je file pour prévenir mes amies mais trop tard : *ding! ding! ding!* La sonnerie de l'école annonce la reprise des cours de l'après-midi et, forcément, je ne pense bientôt plus aux étranges manigances des jumelles…

Chapitre quatre

À la fin des cours, je remarque brutalement que je n'ai plus
mon bracelet, à mon poignet. Je
demande à Romy :

— Tu n'aurais pas vu mon bracelet, par hasard ?

Elle fait « non » de la tête, alors

je laisse deux minutes mes amies en salle d'études pour vérifier si je ne l'ai pas oublié dans notre chambre. Je regarde sur la table de nuit. Mais il n'est pas là.

« Tant pis », je me dis.

J'irai chercher demain aux Bureau des Objets Trouvés de l'école : pour l'instant, je veux finir vite mes devoirs et m'occuper enfin de Monty. Je regagne donc rapidement la salle d'études.

Puis, une fois nos devoirs terminés, Karine et Mina m'accompagnent à la Garderie Animalière. Tu t'en doutes : je file tout de suite à la cage du cochon d'Inde. Mais elle est vide ! Monty a disparu ! Nous fouillons partout, avec mes amies. En vain. J'appelle :

— Monty ! Viens, Monty ! Montre-toi !

Il n'est pas non plus dans la réserve de paille, ni sur les étagères du garde-manger.

— Il faut vite prévenir Lady Sally ! je m'écrie soudain.

Et justement, pile à cet instant, Lady Sally entre dans la Garderie Animalière. Les jumelles l'accompagnent en pleurant… sauf qu'elles n'ont pas de larmes ! Elles font semblant, j'en suis certaine.

— Princesse Lalie !

Lady Sally fronce les sourcils en me regardant.

— Les princesses Précieuse et Perla me disent que vous avez sorti Monty de sa cage sans ma permission. Où l'avez-vous mis ?

Je bégaie :

— Mais… mais… ce n'est pas moi, je ne l'ai pas touché…

— C'est forcément toi, puisqu'il ne permet à personne d'autre de l'approcher ! persifle Perla.

Je ne sais pas quoi répondre. Précieuse s'exclame :

— Eh ! Il y a quelque chose qui brille dans la cage !

Elle plonge la main dans la paille et en retire… mon bracelet! Lady Sally croise les bras, l'air très fâché.

— Alors, Princesse Lalie ? gronde-t-elle.

Je hausse les épaules. Je n'y comprends rien ! Mais Perla ne pleure plus, cette fois. Elle sourit même avec satisfaction. Et elle ne semble pas du tout surprise que mon bracelet soit dans la cage ! Lady Sally insiste avec colère :

— Eh bien, Princesse Lalie ? Qu'avez-vous à dire pour votre défense ? J'attends vos explications !

Je me redresse dans mon fauteuil et affirme :

— Je vous promets que je n'ai pas sorti Monty de sa cage.

— Lalie-la-menteuse ! s'emporte aussitôt Perla. Tu l'as kidnappé !

Là-dessus, Mina demande la parole.

— Excusez-moi, Lady Sally, mais Lalie n'a pas pu venir ici prendre Monty. Elle est avec nous depuis la fin des cours et…

Elle s'interrompt. Elle se rappelle tout à coup que j'ai quitté la salle d'études quand je suis retournée fouiller le dortoir ! Précieuse en profite aussitôt :

— C'est Lalie, la fautive ! Elle a enlevé notre cochon d'Inde !

Lady Sally lui fait signe de se taire.

— Continuez, Princesse Mina.
Princesse Lalie était avec vous
depuis la fin des cours et…?

Mina se tait. Elle ne veut pas
avoir l'air de m'accuser! Alors,
j'explique:

— Mina hésite car j'ai quitté la salle d'études pour aller voir si j'avais laissé mon bracelet dans notre chambre. Mais je ne suis partie que deux minutes !

Du coin de l'œil, j'aperçois Karine qui s'éclipse de la Garderie. Pourvu qu'elle ne me croie pas coupable, elle aussi ! Lady Sally soupire.

— Il est grand temps d'en parler à Marraine Fée. Il faut retrouver ce pauvre Monty au plus tôt. Il doit être terrifié ! Venez, Princesse Lalie, je vous prie.

Chapitre cinq

Perla nous emboîte le pas en lançant :

— Précieuse et moi, nous vous accompagnons. Après tout, c'est le cochon d'Inde de notre tante, que Lalie a volé !

— Et comment êtes-vous si

sûres que Princesse Lalie l'a volé ? déclame soudain une grosse voix familière.

Nous sursautons. Marraine Fée vient d'apparaître au beau milieu de la Garderie Animalière… et Karine est avec elle ! Elle m'adresse un petit sourire d'encouragement : je devine aussitôt que mon amie est allée chercher l'Enchanteresse pour m'aider. Perla bougonne :

— Lalie est la seule à pouvoir prendre Monty dans ses mains, Marraine Fée, bougonne Perla. Et en plus, on a retrouvé son bracelet dans la cage !

— Ah oui ?

Marraine Fée agite sa baguette magique. Une pluie d'étincelles argentées s'en échappe et Minnie se met à aboyer.

— Et voilà ! s'esclaffe l'Enchanteresse. C'est Minnie qui va retrouver Monty pour nous. Princesse Karine, voulez-vous lui mettre sa laisse, s'il vous plaît ?

Tandis que Karine obéit, Perla murmure quelque chose à l'oreille de Précieuse qui déclare :

— Pardon, Marraine Fée, mais Perla a raison : Monty a très peur des chiens. Et en plus, Minnie risque de le manger !

— Pas tant que je serai là, rassurez-vous ! En route !

Nous sortons dans le jardin avec Mina, Karine et les jumelles. Minnie renifle l'herbe. Marraine Fée lui tapote doucement la tête du bout de sa baguette et commande :

— Allons, Minnie ! Cherche Monty !

— Ouaf ! fait Minnie comme si elle acquiesçait.

Perla se tord les mains en bredouillant :

— On va vous laisser, Marraine Fée. Précieuse et moi, on doit finir nos devoirs et…

— Vous restez ici, princesses ! se fâche l'Enchanteresse.

Elle commence à grandir, grandir… Perla pâlit.

— Oui, Marraine Fée.

Minnie tire sur sa laisse. Nous quittons le jardin de la Garderie, et elle nous conduit directement à l'école. Derrière nous, Précieuse et Perla traînent des pieds, la tête basse. Minnie entre par la porte de derrière, traverse le couloir… et s'arrête devant la chambre des jumelles.

— Comment expliquez-vous cela, princesses Précieuse et Perla ? interroge l'Enchanteresse.

Elles ne répondent pas. Alors,
Marraine Fée pousse la porte,
quand nous entendons un petit

couinement aigu. Et soudain,
Monty surgit de sous le lit de
Perla et se précipite vers moi !

D'un coup de baguette magique, l'Enchanteresse le transporte sur mes genoux. Perla s'exclame :

— Lalie ! C'est toi qui as caché Monty dans notre chambre !

Marraine Fée se racle la gorge.

— Maintenant, je veux la vérité, mes chères princesses. Je vous écoute.

Elle regarde Perla et ajoute :

— Vous prétendez, Princesse Perla, que ni vous ni votre sœur ne pouvez attraper Monty pour le sortir de sa cage, n'est-ce pas ?

— Oui, Marraine Fée. Il se sauve dès qu'on approche la

main. Demandez à Lady Sally, elle l'a vu elle-même !

— Mais sans doute qu'à vous deux, vous auriez quand même pu l'attraper de force ? note l'Enchanteresse.

Perla fixe Marraine Fée d'un air apeuré, pourtant elle continue de faire non de la tête.

L'Enchanteresse pousse un soupir, puis elle agite sa baguette en récitant :

— Que les poils de Monty brillent à l'instant !

Et voici que des étincelles dorées se mettent à scintiller sur les mains et les robes des jumelles !

Je baisse les yeux vers Monty, sur mes genoux. Sa fourrure scintille de la même façon ! Je le caresse, mes doigts scintillent à leur tour. Précieuse panique :

— Oh non, Perla ! On aurait dû penser à se laver les mains et à se changer, tout à l'heure ! Regarde, on est couvertes de poils de cochon d'Inde !

Chapitre six

Perla rougit. Elle bafouille :

— En fait, Marraine Fée, on a enfermé Monty ici pour faire une farce à Lalie, ce n'était pas méchant, et...

— Ça suffit ! rugit l'Enchanteresse. Au nom du Roi Percy,

je vous punis et je vous prive de sortie ce week-end. Vous n'avez donc plus la permission d'assister au bal de votre tante !

Le lendemain, les jumelles ne disent pas un mot. D'après Romy, ce qui a mis Marraine Fée le plus en colère, c'est qu'elles ont caché mon bracelet dans la cage pour me faire accuser. Et je crois qu'elle a raison !

Enfin, c'est samedi. Avec mes amies, nous courons à la Garderie Animalière. Et là, surprise ! La Reine Emmalina et trois petits princes sont dans le bureau de

Lady Sally. Le plus jeune des garçons câline Monty sur ses genoux.

— Je vous présente la Reine Emmalina, lance Lady Sally en nous voyant arriver. Princesse Lalie, la reine tient à vous remercier en particulier d'avoir pris bien soin de Monty.

— Vous avez été très maligne, en trouvant le moyen de le faire manger, Princesse Lalie, me félicite alors la reine. Ce coquin de Monty est parfois si capricieux ! En guise de remerciement, j'aimerais vous inviter, vous et toutes vos amies de la Chambre des Tulipes,

à mon grand bal de ce soir. Qu'en pensez-vous?

Nous nous regardons en souriant. Je réponds:

— Ce serait fantastique, Votre Majesté!

Puis, je réfléchis un instant et ajoute :

— Mais Précieuse et Perla sont vos nièces. Ce serait trop injuste que nous assistions au bal sans elles… Si vous voulez bien m'excuser, je reviens tout de suite !

Je repars rapidement à l'école dans mon fauteuil roulant. Je frappe à la porte du Directeur. Par chance, le Roi Percy est là, avec Marraine Fée, et il me reçoit immédiatement.

— Votre Altesse, s'il vous plaît, pourriez-vous lever la punition de Précieuse et Perla ? je demande. En y réfléchissant, j'ai peut-être bien perdu mon bracelet dans la cage de Monty en m'occupant de lui…

Le roi fronce les sourcils. Il questionne :

— Qu'en pensez-vous, Marraine Fée ?

Les yeux de l'Enchanteresse pétillent de malice.

— J'en pense qu'une vraie Princesse Modèle sait toujours pardonner à celui ou à celle qui lui a joué un mauvais tour, Votre Majesté.

Elle fait une pause et ajoute :

— J'oublierai donc moi aussi avoir vu les jumelles ramasser le bracelet de Princesse Lalie sous la table du réfectoire. Cela devrait leur faire le plus grand bien de découvrir que certaines princesses, comme Lalie, savent se montrer généreuses envers les autres…

Victoire ! Le Roi Percy a finalement permis à Précieuse et à Perla de nous accompagner au bal !

Elles n'ont pas beaucoup dansé, mais elles ont été incroyablement aimables envers mes amies et moi, et la soirée a été merveilleuse ! En rentrant aux Tours de Diamants, j'ai trouvé un petit mot épinglé sur mon oreiller.

Merci de ton amitié, Lalie.
Tu as été très gentille avec nous.
On essaiera d'être un peu
moins méchantes à l'avenir.
Précieuse et Perla.

Je souris. Je sais bien que les jumelles ne changeront jamais vraiment! Mais ça m'est égal, puisque j'ai déjà les cinq meilleures amies du monde : Mina, Bettina, Karine, Agathe, Romy… et toi !

FIN

Que se passe-t-il ensuite ?
Pour le savoir,
regarde vite la page suivante !

L'aventure continue
à la Princesse Academy
avec Princesse Agathe !

Les princesses partent visiter la Bambouseraie Royale ! Attention, il ne faut pas se faire voir des bébés pandas sinon leur maman risquerait de les abandonner. Mais, comme d'habitude, Précieuse et Perla décident d'ignorer les consignes des professeurs…

Pour connaître la date de parution de ce tome, inscris-toi à la newsletter du site :
www.bibliotheque-rose.com

Les as-tu tous lus ?

Retrouve toutes les histoires de la Princesse Academy
dans les livres précédents.

Princesse Charlotte
ouvre le bal

Princesse Katie
fait un vœu

Princesse Daisy
a du courage

Princesse Alice
et le Miroir Magique

Princesse Sophie
ne se laisse pas faire

Princesse Émilie
et l'apprentie fée

Saison 2 : les Tours d'Argent

Princesse Charlotte
et la Rose Enchantée

Princesse Katie
et le Balai Dansant

Princesse Daisy
et le Carrousel Fabuleux

Princesse Alice
et la Pantoufle de Verre

Princesse Sophie
et le bal du Prince

Princesse Émilie
et l'Étoile des Souhaits

Princesse Charlotte
et la Fantaisie des Neiges

Princesse Alice
et le Royaume des Glaces

Saison 3 : le Palais Rubis

Princesse Chloé
entre dans la danse

Princesse Jessica
a un cœur d'or

Princesse Marie
garde le sourire

Princesse Olivia
croit au Prince Charmant

Princesse Maya
fait le bon choix

Princesse Noémie
n'oublie pas ses amies

Princesse Noémie
et la Serre Royale

Princesse Olivia
et le Bal des Papillons

Hors-série
Le Bal des Papillons

Connecte-toi vite sur le site de tes héros préférés:
www.bibliotheque-rose.com
• Tout sur ta série préférée
• De super concours tous les mois

Les as-tu tous lus ?

Retrouve toutes les histoires de la Princesse Academy
dans les livres précédents.

Saison 4 : le Château de Nacre

Princesse Anna
et Noires-Moustaches

Princesse Isabelle
et Blanche-Crinière

Princesse Inès
et Plume-d'Or

Princesse Lucie
et Truffe-Caramel

Princesse Emma
et Sabots-Bruns

Princesse Sarah
et Duvet-d'Argent

Saison 5 : le Manoir d'Émeraude

Princesse Amélie
et le sauvetage
du petit phoque

Princesse Léa
et le trésor
de l'hippocampe

Princesse Rosa
et le mystère
de la baleine

Princesse Mélanie
et le secret
de la sirène

Princesse Rachel
et le bal
des dauphins

Princesse Zoé
et la cérémonie
du coquillage

Saison 6 : les Tours de Diamants

Princesse Mina
et le koala

Princesse Bettina
et le cochonnet

Princesse Karine
et l'agneau

Table

PAPIER À BASE DE FIBRES CERTIFIÉES

hachette s'engage pour l'environnement en réduisant l'empreinte carbone de ses livres. Celle de cet exemplaire est de : **400** g éq. CO₂ Rendez-vous sur www.hachette-durable.fr

Imprimé en Roumanie par G.Canale & C. S.A.
Dépôt légal : mai 2012
Achevé d'imprimer : novembre 2012
20.20.2645.8/04 ISBN : 978-2-01-202645-2
Loi n° 49956 du 16 juillet 1949
sur les publications destinées à la jeunesse